同舟共济，继往开来，携手构建新时代中非命运共同体

——在中非合作论坛第八届部长级会议开幕式上的主旨演讲

（2021年11月29日）

习 近 平

人 民 出 版 社

同舟共济，继往开来，携手构建新时代中非命运共同体

——在中非合作论坛第八届部长级会议开幕式上的主旨演讲

（2021年11月29日）

中华人民共和国主席　习近平

尊敬的萨勒总统，

尊敬的各位同事、各位嘉宾、各位朋友：

很高兴出席中非合作论坛第八届部长级会议开幕式。首先，我谨对萨勒总统和塞内加尔政府为本次会议所作的精心准备，表示诚挚的感谢！对各位同事和嘉宾出席会议，表示热烈

的欢迎！

今年是中非开启外交关系65周年。65年来，中非双方在反帝反殖的斗争中结下了牢不可破的兄弟情谊，在发展振兴的征程上走出了特色鲜明的合作之路，在纷繁复杂的变局中谱写了守望相助的精彩篇章，为构建新型国际关系树立了光辉典范。

各位朋友！

中非关系为什么好？中非友谊为什么深？关键在于中非双方缔造了历久弥坚的中非友好合作精神，那就是“真诚友好、平等相待，互利共赢、共同发展，主持公道、捍卫正义，顺应时势、开放包容”。这是中非双方数十年来休戚与共、并肩奋斗的真实写照，是中非友好关系继往开来的力量源泉。

今年是中国恢复在联合国合法席位50周年。在此，我谨向当年支持中国的广大非洲朋友表示衷心的感谢！我愿郑重重申，中国永远不会忘记非洲国家的深情厚谊，将继续秉持真实亲诚理念和正确义利观，同非洲朋友一道，让中非友好合作精神代代相传、发扬光大。

各位朋友！

我在2018年中非合作论坛北京峰会上提出构建更加紧密的中非命运共同体，得到非方领导人一致赞同。3年多来，中非双方并肩携手，全力推进落实“八大行动”等峰会成果，完成了一大批重点合作项目，中非贸易额和中国对非洲的投资额稳步攀升，几乎所有论坛非方成员都加入了共建“一带一路”合作大家庭，为中非全面战略合作伙伴关系注入了强劲动力。

千里之行，始于足下。站在构建新时代中非命运共同体的历史起点上，我愿提出4点主张。

第一，坚持团结抗疫。我们要坚持人民至上、生命至上，弘扬科学精神，支持疫苗知识产权豁免，切实保障疫苗在非洲的可及性和可负担性，弥合“免疫鸿沟”。

第二，深化务实合作。我们要开创中非合作新局面，扩大贸易和投资规模，共享减贫脱贫经验，加强数字经济合作，促进非洲青年创业和中小企业发展。我在今年联合国大会上提出的全球发展倡议，同非盟《2063年议程》和联合国2030年可持续发展议程高度契合，欢迎非洲国家积极支持和参与。

第三，推进绿色发展。面对气候变化这一全人类重大挑战，我们要倡导绿色低碳理念，积极发展太阳能、风能等可再生能源，推动应对气候变化《巴黎协定》有效实施，不断增强可持续发展能力。

第四，维护公平正义。世界需要真正的多边主义。和平、发展、公平、正义、民主、自由是全人类的共同价值，是中非双方孜孜以求的共同目标。我们都主张走符合自身国情的发展道路，都致力于维护发展中国家权益，都反对干涉内政、种族歧视、单边制裁。我们要理直气壮坚持发展中国家的正义主张，把我们的共同诉求和共同利益转化为共同行动。

各位朋友！

本次会议前，中非双方共同制订了《中非合作 2035 年愿景》。作为愿景首个三年规划，中国将同非洲国家密切配合，共同实施“九项工程”。

一是卫生健康工程。为实现非盟确定的 2022 年 60%非洲人口接种新冠疫苗的目标，我宣布，中国将再向非方提供 10 亿剂疫苗，其中 6 亿剂为无偿援助，4 亿剂以中方企业与有关非洲国家联合生产等方式提供。中国还将为非洲国家援助实施 10 个医疗卫生项目，向非洲派遣 1500 名医疗队员和公共卫生专家。

二是减贫惠农工程。中国将为非洲援助实施 10 个减贫和农业项目，向非洲派遣 500 名农业专家，在华设立一批中非现代农业技术交流示范和培训联合中心，鼓励中国机构和企业在非洲建设中非农业发展与减贫示范村，支持在非中国企业社会责任联盟发起“百企千村”活动。

三是贸易促进工程。中国将为非洲农产品输华建立“绿色通道”，加快推动检疫准入程序，进一步扩大同中国建交的最不发达国家输华零关税待遇的产品范围，力争未来3年从非洲进口总额达到3000亿美元。中国将提供100亿美元贸易融资额度，用于支持非洲出口，在华建设中非经贸深度合作先行区和“一带一路”中非合作产业园。中国将为非洲援助实施10个设施联通项目，同非洲大陆自由贸易区秘书处成立中非经济合作专家组，继续支持非洲大陆自由贸易区建设。

四是投资驱动工程。中国未来3年将推动企业对非洲投资总额不少于100亿美元，设立“中非民间投资促进平台”。中国将为非洲援助实施10个工业化和就业促进项目,向非洲金融机构提供100亿美元授信额度,重点扶持非洲中小企业发展,设立中非跨境人民币中心。中国将免除非洲最不发达国家截至2021年年底到期未还的政府间无息贷款债务。中国愿从国际货币基金组织增发的特别提款权中拿出100亿美元,转借给非洲国家。

五是数字创新工程。中国将为非洲援助实施10个数字经济项目,建设中非卫星遥感应用合作中心,支持建设中非联合实验室、伙伴研究所、科技创新合作基地。中国将同非洲国家携手拓展"丝路电商"合作,举办非洲好物网购节和旅游电商推广活动,实施非洲"百店千品上平台"行动。

六是绿色发展工程。中国将为非洲援助实施10个绿色环保和应对气候变化项目,支持"非洲绿色长城"建设,在非洲建设低碳示范区和适应气候变化示范区。

七是能力建设工程。中国将为非洲援助新建或升级10所学校，邀请1万名非洲高端人才参加研修研讨活动。实施“未来非洲—中非职业教育合作计划”，开展“非洲留学生就业直通车”活动。中国将继续同非洲国家合作设立“鲁班工坊”，鼓励在非中国企业为当地提供不少于80万个就业岗位。

八是人文交流工程。中国愿支持所有非洲建交国成为中国公民组团出境旅游目的地国。在华举办非洲电影节，在非洲举办中国电影节。举办中非青年服务论坛和中非妇女论坛。

九是和平安全工程。中国将为非洲援助实施10个和平安全领域项目，继续落实对非盟军事援助，支持非洲国家自主维护地区安全和反恐努力，开展中非维和部队联合训练、现场培训、轻小武器管控合作。

各位朋友！

塞内加尔开国总统桑戈尔曾经写道，“让

我们向新生的世界报到吧。”我相信，在中非双方共同努力下，这次中非合作论坛会议一定能够取得圆满成功，凝聚起中非27亿人民的磅礴力量，推动构建高水平中非命运共同体。

谢谢大家。

图书在版编目(CIP)数据

同舟共济,继往开来,携手构建新时代中非命运共同体:
在中非合作论坛第八届部长级会议开幕式上的主旨
演讲/习近平 著.—北京:人民出版社,2021.12
ISBN 978-7-01-024409-9

Ⅰ.①同… Ⅱ.①习… Ⅲ.①习近平-讲话②国际合作-
中国、非洲 Ⅳ.①D2-0②D822.34

中国版本图书馆 CIP 数据核字(2021)第 275439 号

(RMC-ZJDXI-122-20211129)

同舟共济,继往开来,携手构建新时代中非命运共同体
TONGZHOUGONGJI JIWANGKAILAI XIESHOU GOUJIAN XINSHIDAI
ZHONGFEI MINGYUN GONGTONGTI

——在中非合作论坛第八届部长级会议开幕式上的主旨演讲

(2021 年 11 月 29 日)

习 近 平

人民出版社 出版发行
(100706 北京市东城区隆福寺街 99 号)

北京新华印刷有限公司印刷 新华书店经销

2021 年 12 月第 1 版 2021 年 12 月北京第 1 次印刷
开本:880 毫米×1230 毫米 1/32 印张:0.5
字数:6 千字

ISBN 978-7-01-024409-9 定价:2.00 元

邮购地址 100706 北京市东城区隆福寺街 99 号
人民东方图书销售中心 电话 (010)65250042 65289539